Чем эта тетрадь отличается от других развивающих тетрадей?

Задания для «Реши-пиши» спроектированы особым образом, чтобы дети с удовольствием брались за их решение и подолгу не могли оторваться от процесса. Вот три принципа, на которые мы опирались при их разработке:

1 Лёгкий вход и плавное усложнение

Важно, чтобы, столкнувшись с новым типом заданий, ребёнок не сомневался в своих силах, мог сам делать «открытия» без подсказок взрослых. Самостоятельно разобравшись с простыми заданиями, дети с энтузиазмом переходят к более сложным, которые теперь оказываются для них вполне посильными. Подача заданий спроектирована так, чтобы их суть была понятна интуитивно, без прочтения инструкции.

2 Баланс дидактики и дизайна в оформлении

Часто тетради с заданиями делают методисты или педагоги, которые плохо разбираются в дизайне и в инфографике. Такие пособия выглядят непривлекательно, и с ними неудобно работать. Профессиональным дизайнерам, далёким от педагогики, сложно учесть возрастные психологические особенности и не всегда понятно, как должны задания «работать», из-за чего могут теряться важные свойства заданий. В нашей команде над проектом одновременно работали эксперты в педагогике, психологии, инфографике и дизайне.

3 Вовлекающие задания с историей

Дети с энтузиазмом берутся за решение задачи, когда в ней есть понятная им практическая цель. Ведь гораздо интереснее пересчитывать чемоданы, чтобы помочь пассажирам найти свой багаж, чем считать что-то просто для того, чтобы дать правильный ответ.

Благодаря этим принципам решение заданий в этой тетради приносит удовольствие от выполненной работы и скорый прогресс в обучении. Мы протестировали все задания на собственных детях и были удивлены, насколько быстро они осваивали даже сложные вещи.

Теперь ваша очередь удивляться!

ПОВЕРНИ И НАЙДИ КУСОЧКИ

Найди и обведи в квадрате кусочки, изображённые справа.
Теперь кусочки может быть нужно повернуть!

Пример:  1. 2. 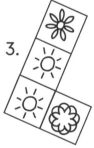 3.

1.

1.

2.

3.

2.

1.

2.

3.

3.

1.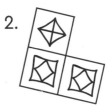

2.

3.

4.

4.

1.

2.

3.

4.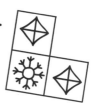

5.

1.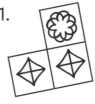

2.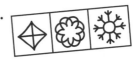

3.

4.

АЛГОРИТМЫ ПО КЛЕТОЧКАМ

С помощью какого набора команд робот доберётся до батарейки?
Робот не может ходить через стены.

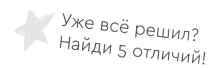
Уже всё решил?
Найди 5 отличий!

Пример:

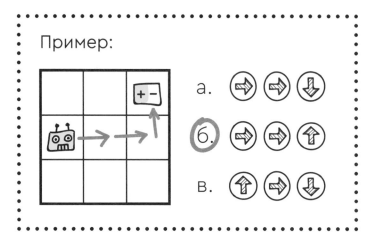

а. ➡️ ➡️ ⬇️

(б.) ➡️ ➡️ ⬆️

в. ⬆️ ➡️ ⬇️

1.

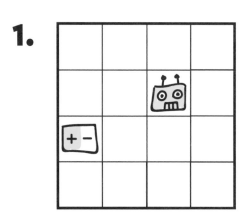

а. ⬆️ ⬅️ ⬇️ ⬇️ ⬅️

б. ⬅️ ⬆️ ⬅️ ⬇️ ➡️

в. ⬇️ ⬅️ ⬆️ ⬆️ ⬅️

2.

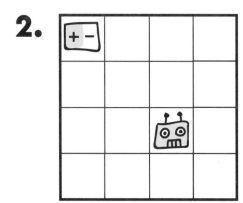

а. ⬆️ ⬅️ ⬆️ ➡️

б. ⬅️ ⬆️ ➡️ ⬆️ ⬅️ ⬅️

в. ⬆️ ⬅️ ⬇️ ⬅️ ⬆️ ⬅️

3.

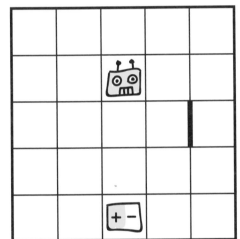

a. ⬆️ ➡️ ⬇️ ⬇️ ⬅️ ⬇️ ⬅️

6. ⬆️ ⬅️ ⬆️ ⬇️ ➡️ ➡️ ⬇️

в. ⬆️ ⬅️ ⬅️ ⬇️ ➡️ ⬇️ ➡️

4.

a. ⬅️ ⬅️ ⬇️ ➡️ ⬇️ ➡️ ⬇️

6. ⬇️ ➡️ ➡️ ⬇️ ⬇️ ⬇️ ⬅️

в. ⬆️ ⬇️ ➡️ ⬇️ ⬇️ ⬅️ ⬅️

5.

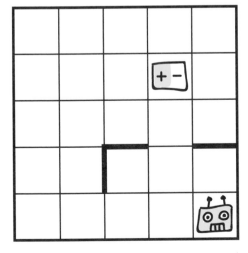

a. ⬆️ ⬆️ ⬅️ ⬆️ ⬅️ ⬅️ ⬇️

6. ⬆️ ⬅️ ⬇️ ➡️ ⬆️ ⬅️

в. ⬅️ ⬆️ ⬆️ ➡️ ⬆️ ⬅️

ПИКСЕЛЬМАНИЯ

Реши примеры и раскрась клеточки нужным цветом.

1 жёлтый,
2 голубой,
3 розовый,
4 красный,
5 оранжевый,
6 зелёный.

4+1						6-1
1+0	3+2				7-2	2-1
9-8	2+3	7-2	6-1	9-4	4+1	1-0
3+2	4+1	2+3	4+1	1+4	8-3	2+3
2+3	1+1	6-1	5+0	8-3	1+1	3+2
1+4	6-1	8-7	2+2	6-5	3+2	4+1
	8-3	3-2	2-1	9-8	7-2	

Пример:

		5-4				
		2-1	1-0			
	5-4	3-2	9-8	2-1	4-3	
1+0	6-5	4-3	7-6	6-5	3-2	5-4
3-2	1+1	1-0	4+1	8-7	1+1	4-3
2-1	0+1	3+2	2+3	8-3	2-1	3-2
	4-3	3-2	1+0	3-2	9-8	

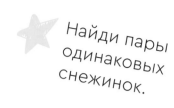

				2+1					
			1+2	0+1	2+1				
		5-2	2-1		1+0	1+2			
	3+1	2+2	2+1	2+1	9-6	7-3	2+2		
2+4		6-2	8-4	2+2	1+3	3+1			7-1
3+3	6+0		3+3	6+0	9-3			8-2	1+5
4+2	1+5	4+2		8-2		2+4	2+4	2+4	
	2+4	0+6	4+2	9-3	7-1	6-0	3+3		

8-6	9-6	8-6	7-4	1+1	0+3	3-1	5-2	2-0
4-1	1+1	1+2	5-2	2+2	6-3	2+1	1+1	4-1
2+0	4-1	6-2	3+1	8-3	8-4	5-1	4-1	1+1
2+1	3+0	1+3	7-2	7-6	9-4	6-2	6-3	6-3
5-3	2+2	3+2	2-1		8-7	3+2	1+3	4-2
6-3	5-2	6-2	3+2	1+0	2+3	3+1	1+2	1+2
4-2	6-3	2+2	3+1	2+3	1+3	8-4	2+1	8-6
1+2	4-2	4-1	8-5	9-5	7-4	9-6	8-6	9-6
9-7	5-2	4-2	6-3	8-6	4-1	2+0	6-3	7-5

НИТОЧКИ

Ниточки по очереди положили в общую кучу. В самом верху всегда лежит жёлтая ниточка, под ней — синяя, а дальше красная и зелёная. Раскрась нужным цветом каждую нитку.

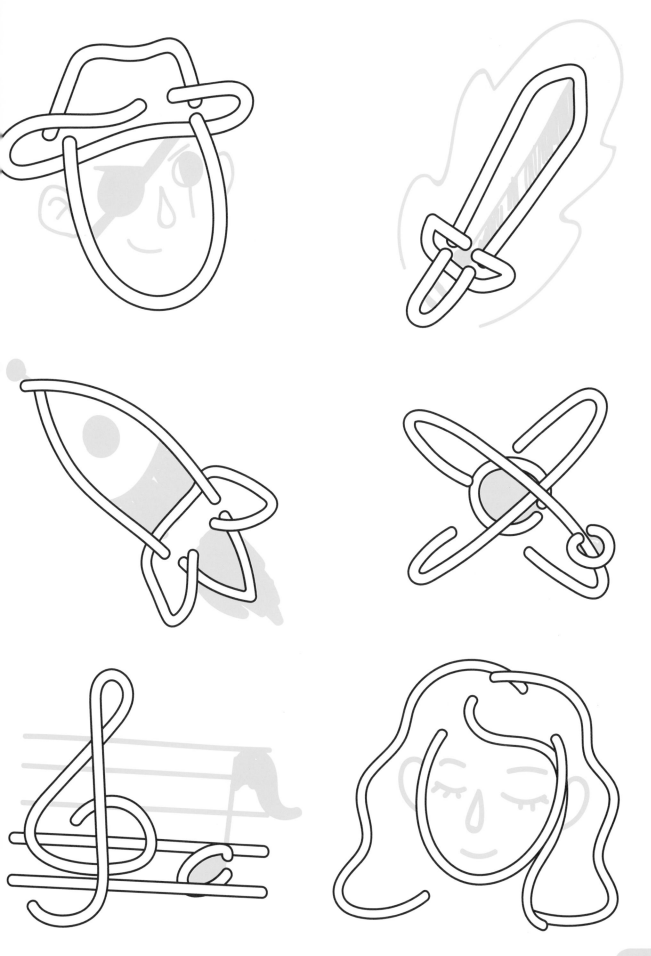

КОНТУРНЫЕ ПРЯТКИ

Обведи контуры больших фигур разными цветами. То, что есть на рисунке, отметь галочкой, а чего нет — отметь крестиком.

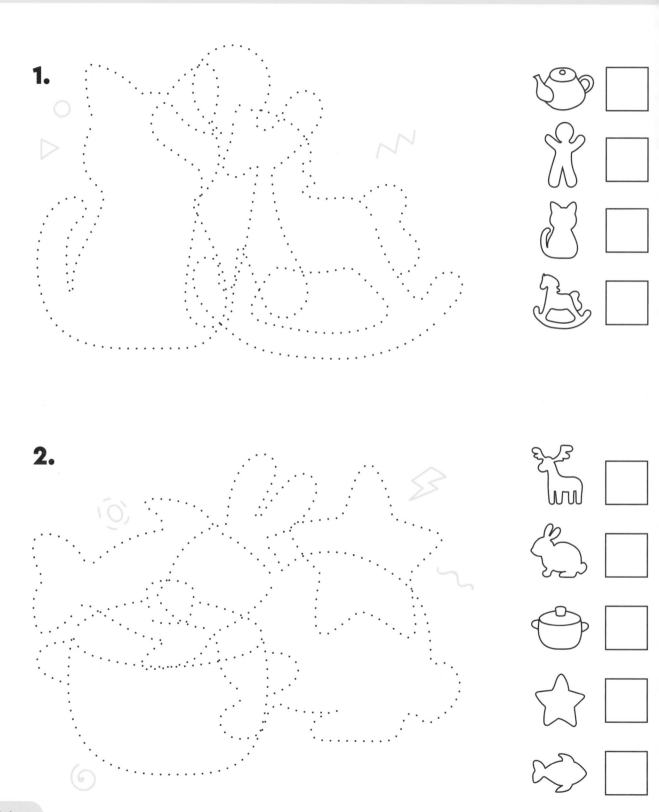

1.

2.

3.

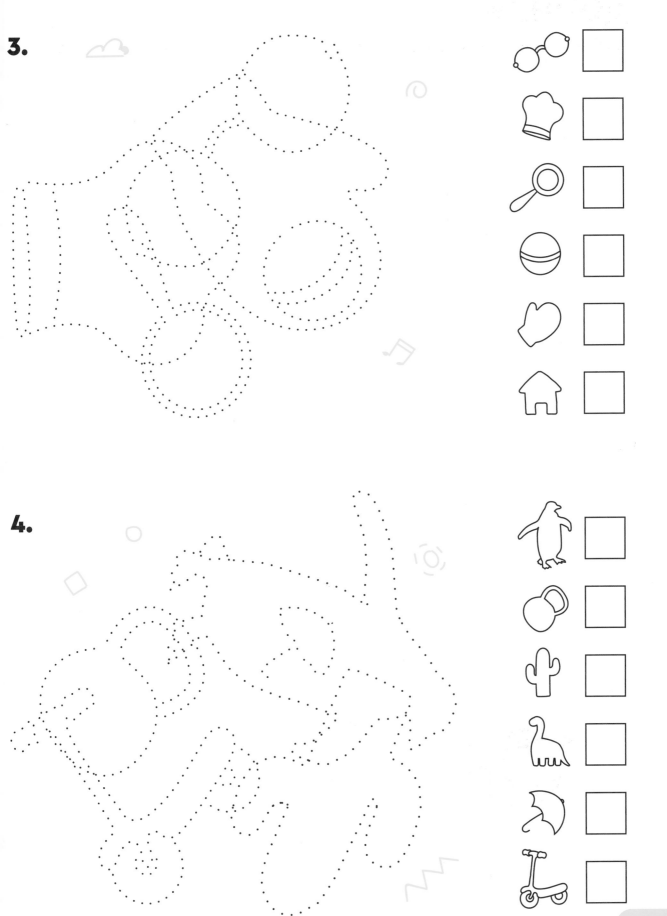

4.

15

ДОМИКИ

Выбери правильный вариант, как домик выглядит с каждого ракурса.

1.

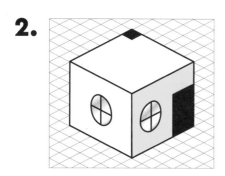

Сверху

а

б

в

Слева

а б в

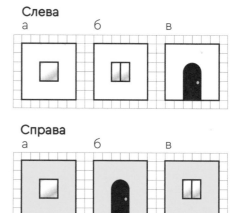

Справа

а б в

2.

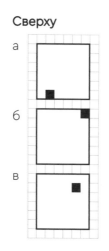

Сверху

а

б

в

Слева

а б в

Справа

а б в

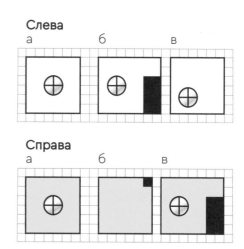

3.

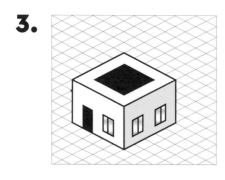

Сверху

а

б

в

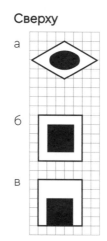

Слева

а б в

Справа

а б в

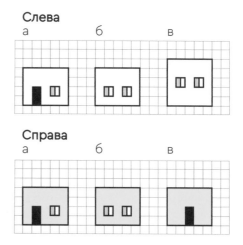

4.

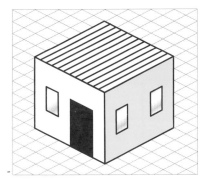

Сверху

а

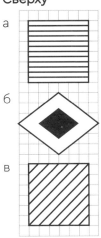

б

в

Слева

а   б   в

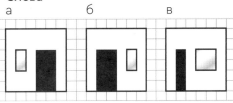

Справа

а   б   в

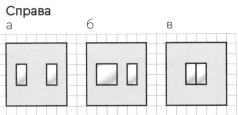

5.

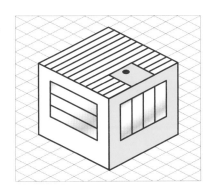

Сверху

а

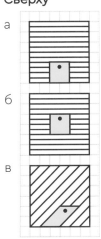

б

в

Слева

а   б   в

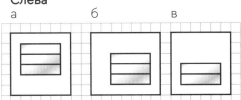

Справа

а   б   в

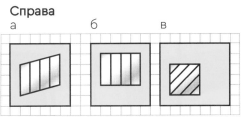

6.

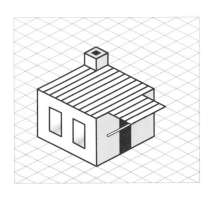

Сверху

а

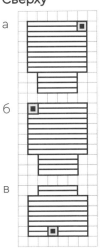

б

в

Слева

а   б   в

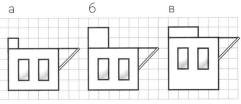

Справа

а   б   в

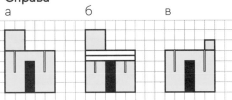

ДОРИСУЙ УЗОР

Дорисуй узор так, чтобы он был симметричен по горизонтали, вертикали и диагоналям.

Пример:

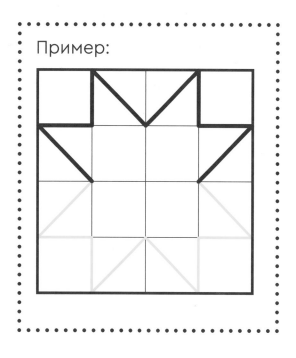

1.

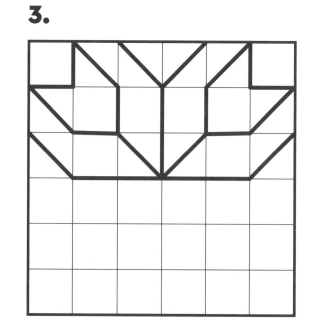

2.

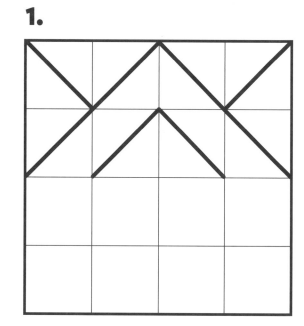

3.

20

4.

5.

6.

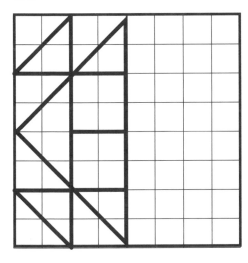

7.

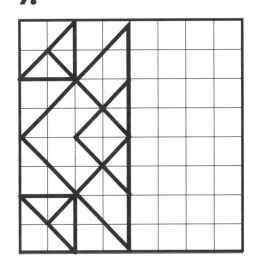

8.

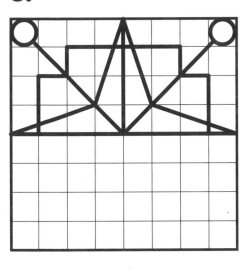

9.

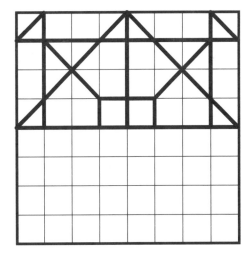

ЧИСЛОВЫЕ ЗМЕИ

Впиши пропущенные числа. Но будь аккуратен, змеи бывают ядовитыми!

Пример:

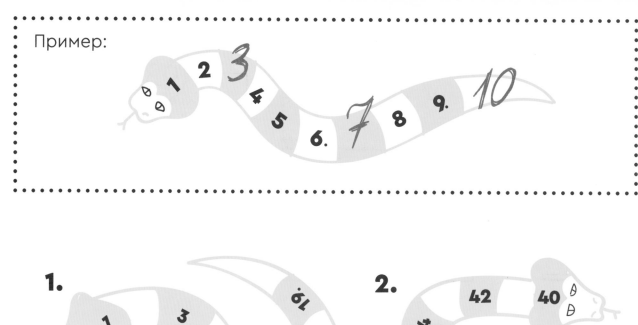

1.

2.

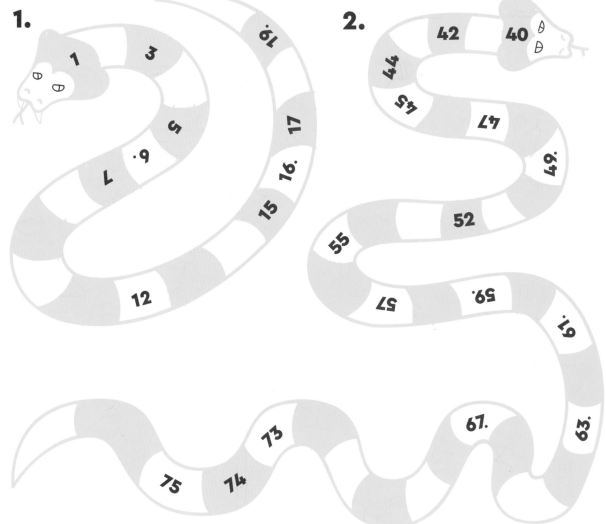

4.

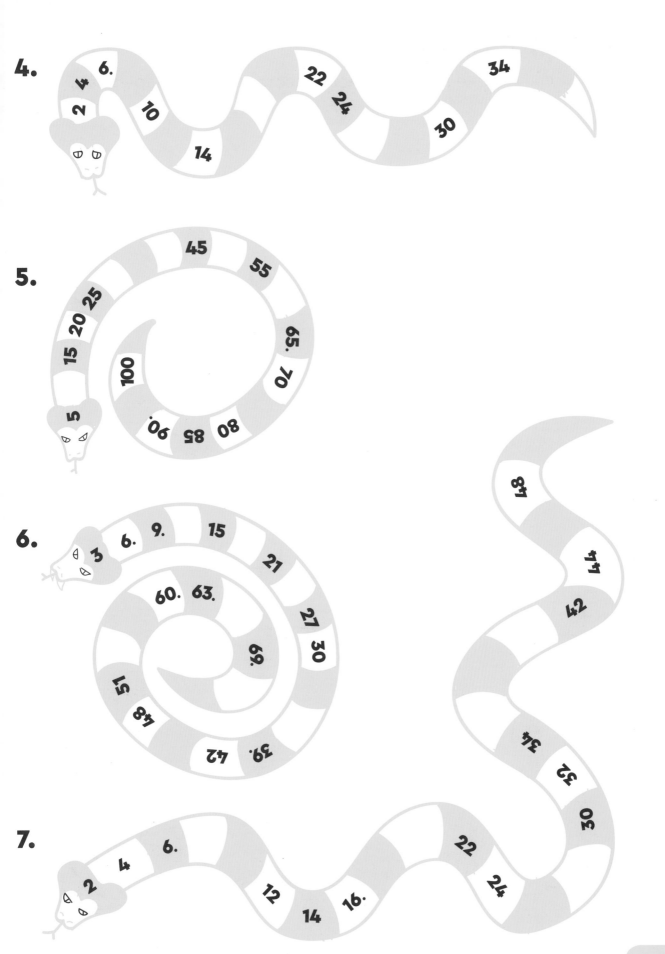

5.

6.

7.

ВАМ ПИСЬМО

Впиши недостающие номера домов и доставь письма адресатам.

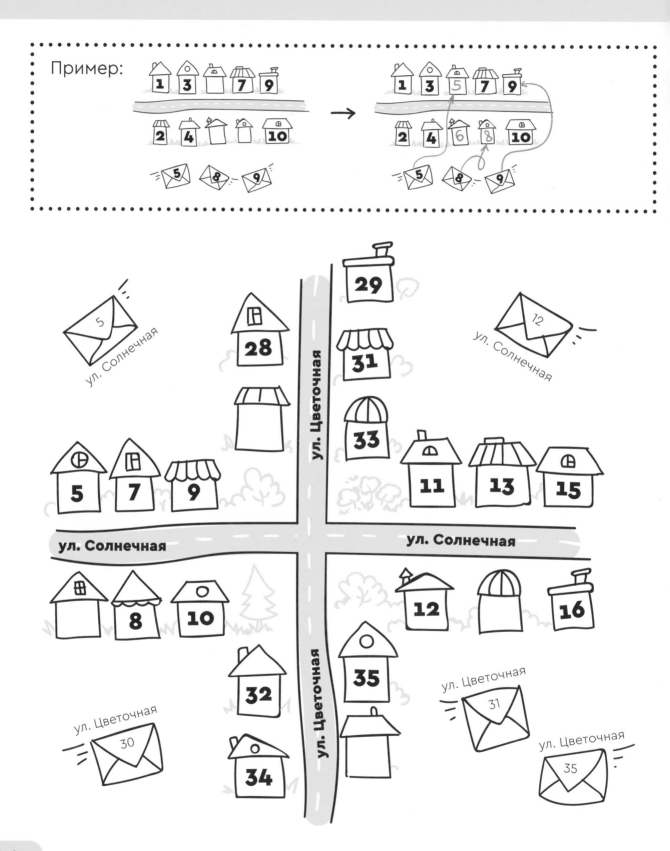

ул. Быстрая 88

ул. Бумажная 78

ул. Летняя 39

ул. Бумажная 81

ул. Бумажная 75

61 ул. Опилкина

54 ул. Опилкина

40 ул. Летняя

62 ул. Опилкина

84 ул. Бумажная

36

74 76

80 82

ул. Бумажная

ул. Бумажная

77

37

79

83

38

улица Летняя

52 56

58 60

ул. Опилкина

ул. Опилкина

53 55 57

59 63

41

улица Летняя

90 92 94

96 98 100

ул. Быстрая

27

НУМБРИКСЫ

Восстанови всю числовую змейку по подсказкам.

Пример:

6←	5←	4	1
7	8	3←	2
10	9	14	
		13	16

1.

	10		6
12		8	
	16	3	4
14			1

2.

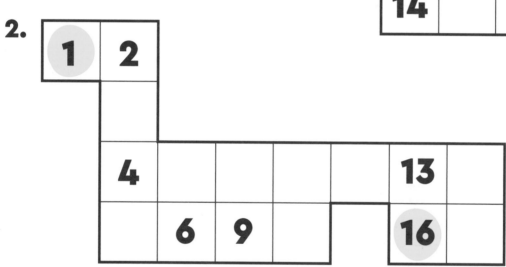

3.

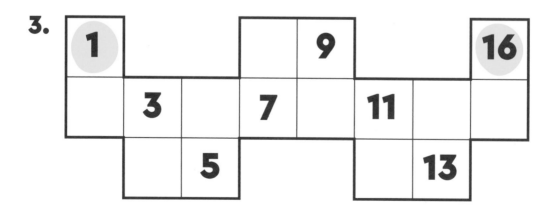

28

4.

1		13			16
3		11
	5		9
	7

5.

	16	
	2	18
4	13	
7	6	
9	

6.

1		3
5	
7	
11	...	17	...	22
9	13	15	...	20	24

НАЙДИ ЧИСЛО

Обведи «тройки» чисел по вертикали или горизонтали, которые бы составляли в сумме 5. В каждом задании — три ответа.

Пример:

1	4	0
2	1	2
4	1	3

Среди этих фигур есть две одинаковые. Раскрась их!

1.

0	3	1
2	1	4
4	1	0

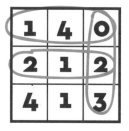

2.

0	1	5
3	2	0
1	4	0

3.

3	2	1
4	1	0
0	2	4

4.

1	2	3
4	1	2
0	5	0

5.

4	1	3
0	2	1
1	2	2

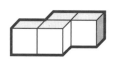

6.

2	3	0
0	3	2
4	2	3

НАЙДИ ЧИСЛО

Обведи «тройки» чисел по вертикали или горизонтали,
которые бы составляли в сумме 10. В каждом задании — три ответа.

Пример:

6	8	9	8
3	5	4	9
1	5	2	7
8	0	2	4

1.

8	7	2	1
5	2	4	8
6	2	2	1
3	9	6	5

2.

8	4	3	3
7	5	1	6
6	5	8	4
9	0	8	2

3.

2	4	6	1
5	9	1	4
3	6	1	5
8	2	2	7

4.

3	8	3	5
1	7	2	4
7	0	2	5
3	1	6	9

СКОЛЬКО ПРОЕХАЛ АВТОБУС?

Посчитай, какой путь проедет автобус по маршруту.
Всё нужно подсчитать без линейки.

Пример:

$$4+2+4+2 = 12$$

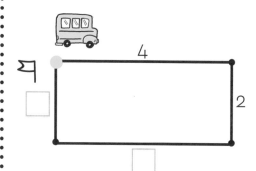

1. ....

2. ....

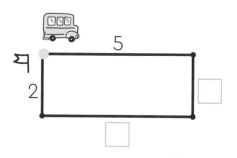

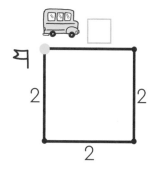

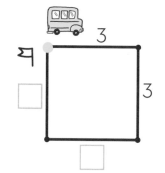

3. ....

4. ....

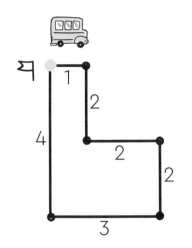

5. ....

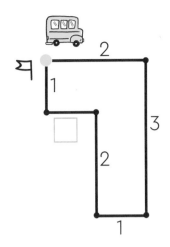

6. ....

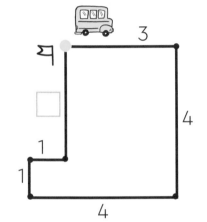

7. ....

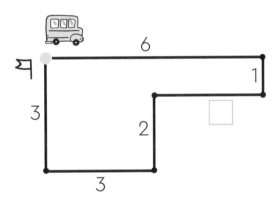

8. ....

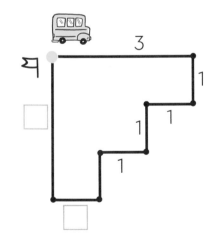

9. ....

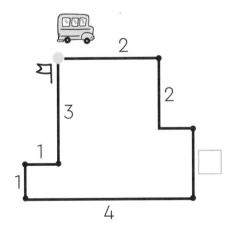

10. ....

37

ШИФРОВКА ПО ЦИФРАМ

Расшифруй слово! Числа показывают правильный порядок букв.

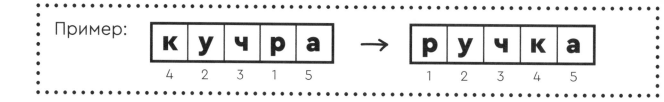

Пример:

к	у	ч	р	а
4	2	3	1	5

→

р	у	ч	к	а
1	2	3	4	5

1.

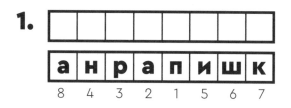

а	н	р	а	п	и	ш	к
8	4	3	2	1	5	6	7

2.

б	и	а	у	л	к	н	к
4	6	8	3	2	1	5	7

3.

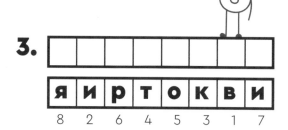

я	и	р	т	о	к	в	и
8	2	6	4	5	3	1	7

4.

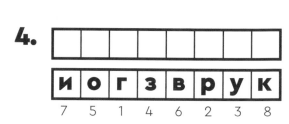

и	о	г	з	в	р	у	к
7	5	1	4	6	2	3	8

5.

а	л	ж	н	а	к	б	а
2	4	6	8	5	3	1	7

6.

р	а	а	н	ш	а	д	к
3	4	2	5	8	7	6	1

7.

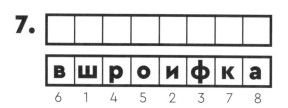

в	ш	р	о	и	ф	к	а
6	1	4	5	2	3	7	8

8.

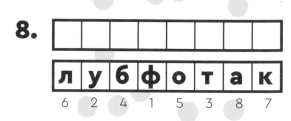

л	у	б	ф	о	т	а	к
6	2	4	1	5	3	8	7

ШИФРОВКА ПО ЦИФРАМ II

Теперь каждая буква может встречаться несколько раз.

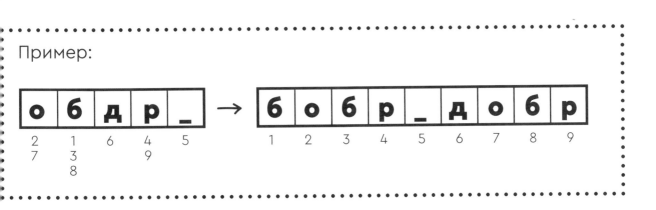

Пример:

| о | б | д | р | _ | → | б | о | б | р | _ | д | о | б | р |

2 1 6 4 5
7 3 9
8

1.

| р | б | к | д | а | _ |

2 4 1 8 3 5
6 7

2.

| а | р | л | в | е | п | _ |

7 6 1 3 2 5 4
8

3.

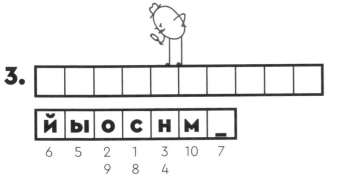

| й | ы | о | с | н | м | _ |

6 5 2 1 3 10 7
9 8 4

4.

| а | д | г | р | у | _ |

2 3 5 1 4 7
6 8 10 9
11

Какой кубик получится из такой развёртки?

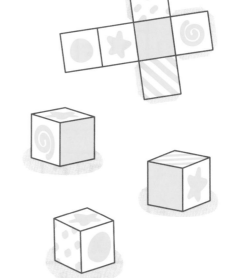

БУКВЕННЫЕ ЛЕНТЫ

Слова спрятались, найди и обведи их! В первых трёх заданиях по два слова, а в остальных — по три.

Пример:

ЬМ(ЛИС)А(ЫТОК)ВЩНТСИ

1. ПЛЕСМКСЙКЗЛУЧК

2. ТУТРОЫМЫЛОЙЬП

3. КЦИРКНЕБОАЫВА

4. ЛЫЖНЯСЛОСЬКВЛЕТОЦЗ

5. ПАРОКУЛЕЙЩГОСТЬУЛИ

6. ГЛЕВОКНОЦЕАРКАРМК

7. КОНЬЕРБОРЩСТОРОЖ

НАЙДИ СЛОВА

Слова спрятались — найди и выпиши их!

Пример:

К	Т	М	Ю
О	С	А	Р
М	Я	К	Е

кот
оса
мак

1.

М	Е	Л
О	Д	К
П	А	Р

2.

П	У	Х
И	В	А
Р	К	Ф

3.

Л	Ю	К
Е	Л	Ь
С	А	О

4.

У	Д	М
С	Ы	Р
Ы	М	С

5.

Р	О	Т
О	И	И
Г	У	Р

6.

Т	О	К
У	Ж	Г
Р	И	Ш

7.

Т	Б	Н	С
П	А	П	А
У	Л	С	Д

....
....
....

8.

Д	У	Б	Ш
О	И	К	Н
М	А	Я	К

....
....
....

9.

А	Р	О	Г
Л	И	П	А
Ь	С	М	Щ

....
....
....

10.

И	П	Г	Е
М	А	Я	К
У	Р	О	К

....
....
....

11.

М	А	М	А
С	Ф	И	К
М	О	Р	Е
П	Ш	У	Д

....
....
....

12.

Ф	Х	О	С
Е	Ч	К	Т
М	Я	Н	У
С	Т	О	Л

....
....
....

УДК 373.3.025
ББК 74.202
П 18

ООО «Банда умников»

Издательская книжная продукция для детей
и подростков: тетради с развивающими заданиями:

Реши-Пиши.

Увлекательные задания
для развития мышления, 7–8 лет.

Автор: Пархоменко С.В.
Редактор: Седых М.Г.
Оформление: Мастрюкова Д.В. и Ратников С.В.

Лучшие идеи занятий с детьми для родителей
и педагогов. Каждый день что-то новое!

BandaUmnikov   bandaumnikov
banda_umnikov   bandaumnikovru
banda_u

Развивающие настольные игры для детей
от 3 до 12 лет: веселимся и учимся одновременно!

bandaumnikov.ru

Весёлый математический фестиваль в Санкт-Петербурге,
который проходит 2 раза в год.

poydemigrat.ru

Готовые наборы для увлекательных квестов.
Приключение с поиском сюрприза прямо у вас дома!

kvestik.com

Сайт с интересными заданиями для детей.
Распечатай и реши!

reshi-pishi.ru

Дата печати/дата изготовления: 09.07.2019. Формат 60х90/8. Гарнитура Cera PRO. Бумага офсетная.
Печать офсетная. Ул. печ. л. 7. Тираж 10000 экз. Заказ №ТД-003829/1. Отпечатано в ООО «Типографский
комплекс "Девиз"» 195027, Санкт-Петербург, ул. Якорная, д.10, корпус 2, литер А, помещение 44.

Учебное издание для развивающего обучения (не является учебным пособием). Для младшего школьного возраста.
В соответствии с Федеральным законом №436-ФЗ от 29.12.2010 маркируется знаком 6+. **Издатель:** ООО «Банда умников»
194044, Россия, Санкт-Петербург, Чугунная ул., д. 20, литера 3, офис 415. Соответствует требованиям ТР ТС 007/2011

П 18 **Пархоменко С. В.**
Реши-пиши. Тетрадь с развивающими заданиями для детей 7–8 лет — СПб.: Банда умников, 2019. — 48 с. : ил.
ISBN 978-5-6041381-0-6